Fred
się zgubił!

Czytaj inne książki Holly Webb:

Biedna, mała Luna
Czaruś, mały uciekinier
Figa tęskni za domem
Fred się zgubił!
Gdzie jest Rudek?
Gwiazdko, gdzie jesteś?
Kora jest samotna
Kto pokocha Psotkę?
Ktoś ukradł Prążka!
Łezka, przerażona kotka
Maksio szuka domu
Mały Rubi w tarapatach
Mgiełka, porzucona kotka
Na ratunek Rufiemu!
Pusia, zagubiona kicia
Samotne święta Oskara
Smyk, uprowadzony szczeniak
Wąsik, niechciany kotek
W poszukiwaniu domu
Wróć, Alfiku!
Zagubiona w śniegu

Fred
się zgubił!

Holly Webb

Ilustracje: Sophy Williams

Przekład: Jacek Drewnowski

WYDAWNICTWO ZIELONA SOWA

Dla Maxa i dla psa Georgie'ego

Tytuł oryginału: *The Lost Puppy*

Przekład: Jacek Drewnowski

Redaktor prowadząca: Sylwia Burdek

Korekta: Teresa Lachowska

Typografia: Stefan Łaskawiec

Skład i łamanie: Bernard Ptaszyński

ISBN 978-83-7895-429-3

Wydawnictwo Zielona Sowa Sp. z o.o.
00-807 Warszawa, Al. Jerozolimskie 96
tel. 22 576 25 50, fax 22 576 25 51
www.zielonasowa.pl
wydawnictwo@zielonasowa.pl

Książkę wydrukowano na papierze Ecco Book Lux 90 g/m² wol. 1.8
dostarczonym przez firmę antalis® | map.

Rozdział pierwszy

– Reniu! Wszystkiego najlepszego z okazji urodzin! – ciocia Ela biegła ścieżką przez ogród, by uściskać Renię, a za nią podążała jamniczka Misia.

– Hej, Misiu, gdzie szczeniaki? – spytała Renia. Odkąd suczka urodziła szczenięta, ciągle leżała skulona przy nich w kojcu w kuchni, jakby bała się spuścić je z oka.

Ciotka pokręciła głową.

– Myślę, że zaczyna mieć ich trochę dosyć, odkąd podrosły. Ciągle na nią włażą i skubią nawzajem swoje uszy… albo uszy Misi. Nie mogą się przedostać przez deskę, którą zastawiliśmy drzwi kuchni, ale ich mama może, więc zostawia szczenięta, żeby trochę od nich odpocząć.

– Możemy je zobaczyć? – spytała dziewczynka. Zawsze lubiła bawić się z Misią, ale szczenięta były jeszcze cudowniejsze od swojej mamy, a Renia nie widziała ich już od tygodnia. Była pewna, że się zmieniły. Skończyły już jedenaście tygodni, ale wciąż rosły bardzo szybko – dosłownie w oczach.

– Chcę pieski! – zażądała jej trzyletnia siostra Ania, krocząc ścieżką. Uwielbiała szczenięta nie mniej niż Renia. Starsza siostra zastanawiała się, czy przypadkiem Ania samej siebie nie uważa za pieska. Kładła się w kojcu niemal za każdym razem, gdy odwiedzali ciocię. Raz spróbowała nawet ich karmy, ale na szczęście jej nie posmakowała.

– Dzień dobry, Aniu – powiedziała z uśmiechem ciocia, gdy mała dziewczynka minęła ją i wbiegła do domu. Renia pobiegła za siostrzyczką. Wiedziała, że jeśli nie dogoni jej wystarczająco szybko, mała gotowa jest usiąść w misce z wodą.

– Masz udane urodziny? – spytała ciotka. – Nie czujesz się dziwnie, bo przyjęcie już się odbyło?

Renia obchodziła urodziny wspólnie ze swoją najlepszą przyjaciółką Basią w poprzedni weekend. Basia była od niej starsza o dwa tygodnie, więc podzieliły tę różnicę na pół.

– Nie, jest super! – Renia rozpromieniła się. – Zupełnie jakbym obchodziła urodziny dwa razy!

– W domu mam dla ciebie prezent – dziewczynka zauważyła, że ciocia ma bardzo tajemniczą minę. Poczuła ekscytację na myśl o prezencie. Obejrzała się na mamę i tatę, zastanawiając się, czy wiedzą, co to za tajemniczy prezent. Na twarzy mamy malował się dokładnie taki sam wyraz jak na twarzy cioci Eli. W sumie nic dziwnego, w końcu były siostrami. – Co to jest? – spytała z zaciekawieniem.

– Może pójdziesz zobaczyć szczeniaki, zanim otworzysz prezent? – zaproponowała ciocia. – Inaczej zaraz się okaże, że skubią stópki Ani. Już prawie pora ich obiadu.

Pieski nadal dostawały posiłki bardzo często.

– Czy to owsianka? – spytała Renia z nadzieją, przechodząc przez kuchnię. Podczas ich poprzedniej wizyty szczenięta jadły mleczną owsiankę i wszystkie moczyły w miskach swoje długie uszy, więc potem miały na nich zaschnięte mleko. Było to bardzo śmieszne!

Ciocia Ela parsknęła śmiechem.

– Nie, przykro mi, tym razem tylko krokieciki. Nuda. Ale bardzo im smakują. Teraz pieski są już wystarczająco duże, żeby iść do nowych domów, więc odzwyczajam je od mlecznych dań.

– Naprawdę mogą już zostać oddzielone od Misi? – spytała Renia, zaglądając za kuchenne drzwi, by zobaczyć kłębiącą się masę brązowo-czarnych szczeniąt, które wierciły się w kojcu. Misia zgrabnie przeskoczyła nad deską w drzwiach i skierowała się do swoich dzieci. Szczenięta ją dostrzegły i wybiegły z kojca, by potruchtać do mamy. Dziewczynka zachichotała. Była niemal pewna, że widziała, jak Misia pochyliła łebek i naprężyła łapy, gdy uderzyła w nią fala szczeniąt.

Ciocia pokiwała głową.

– Kilka osób już przyszło je oglądać.

– Sześć szczeniąt – mruknęła Renia do taty i przykucnęła, by popatrzeć na nie z bliska. – A ty zawsze mówisz, że Ania i ja wam wystarczamy!

Tata skinął głową.

– Pewnie, że wystarczacie.

– Myślę, że Misia będzie za nimi tęsknić, kiedy już odejdą – powiedziała ciocia Ela. – Ale przypuszczam, że w tej chwili nie miałaby nic przeciwko

temu. Poza tym zatrzymam dla siebie jedno szczenię.

– Ooo, a które? – spytała Renia, krzyżując palce za plecami.

– Małą czarną sunię. Nazwę ją Milka. Mam wrażenie, że dobrze dogaduje się z Misią. I podoba mi się pomysł, żeby obie miały imiona na M.

Renia pokiwała głową z lekkim zawodem. Liczyła, że ciocia zatrzyma u siebie jej ulubionego szczeniaka, pięknego pieska z czarnym grzbietem i rdzawymi łapkami. Zauważył, że weszła, i podbiegł do niej z zapałem. W myślach nazwała go Fred, chociaż nikomu o tym nie powiedziała. Nadawanie mu imienia nie miało właściwie sensu, skoro i tak miał zamieszkać gdzie indziej, i to już wkrótce. Ale Renia nie umiała nic poradzić na to, że się do niego przywiązała, a imię Fred po prostu bardzo do niego pasowało.

Był zabawnym pieskiem, zawsze skakał i rozrabiał. Renia poturlała dzwoniącą piłeczkę po podłodze, a on, ślizgając się na płytkach terakoty, pobiegł z zapałem za zabawką. Pędził za nią tak szybko, że ją minął, i musiał zahamować, by w końcu wyciągnąć ją spomiędzy łapek Milki. Siostra warknęła na niego ze złością i cofnęła się.

Fred podniósł piłeczkę ostrymi ząbkami i z triumfem pomaszerował z powrotem do dziewczynki, wesoło machając uszkami. Potem położył zabawkę u jej stóp, zamerdał ogonkiem i trącił ją w stronę Reni, prosząc o powtórkę.

Pogłaskała jego lśniącą sierść.

– Jesteś taki piękny!

Ania, która położyła się na podłodze, by znaleźć się na jednym poziomie ze szczeniętami, podczołgała się do Reni i Freda, po czym przytknęła nos do jego noska. Fred wydawał się lekko zdezorientowany, ale też trącił ją noskiem, a potem nawet szczodrze polizał po policzku.

Ania zapiszczała z zachwytu i już chciała też go polizać, kiedy mama złapała ją i powstrzymała.

– Nie wolno lizać piesków! – powiedziała stanowczo.

Zerknęła z niepokojem na tatę, lecz on się tylko śmiał.

– Nic jej nie będzie – stwierdził.

Renia zmarszczyła brwi. O co im chodziło? Była pewna, że z powodu polizania przez Freda jej siostrzyczce nic nie grozi. – Może go podniesiesz? – zaproponowała ciocia. – Nie będzie miał nic przeciwko temu.

Renia delikatnie wsunęła dłonie pod gładki brzuszek Freda i przytuliła go do siebie. Już wcześniej wdrapywał się jej na kolana, ale właściwie nigdy go nie podnosiła. Tak miło było go głaskać. Westchnęła cicho, pocierając policzkiem jego ciepły łebek i zastanawiając się, czy widzi go ostatni raz.

Fred też westchnął, ale radośnie. Wsunął nosek pod rękaw bluzy dziewczynki, aż zachichotała i podskoczyła, a potem zaczął delikatnie drapać tkaninę pazurkami.

Ciocia Ela uśmiechnęła się do niej.

– I co, podoba ci się prezent?

Renia podniosła wzrok, zdezorientowana.

Tata parsknął śmiechem, mama również uśmiechnęła się do niej, po czym spojrzała znacząco na Freda.

– Fred? To jest... szczeniak? – Renia patrzyła na nich wszystkich, ze zdumienia otwierając usta.

– Mówiłam, że już nadała mu imię! – powiedziała ciocia Ela. – Od początku lubiła go najbardziej. Wczoraj pewna pani chciała go wziąć, Reniu, ale powiedziałam jej, że jest zarezerwowany dla ciebie!

– Dajecie mi Freda na urodziny? – spytała dziewczynka oszołomionym głosem. – Możemy go zabrać do domu? – dodała z nadzieją – czy będzie mój, ale zostanie w twoim domu, ciociu? – Wcześniej rodzice nie chcieli się zgodzić na psa, bo Ania była za mała. Renia podniosła na nich niepewny wzrok. – Mówiliście, że Ania jest mała...

– Przecież on nie urośnie taki duży, żeby ją przewrócić, prawda? – zauważył tata. Fred był jamnikiem miniaturowym, co oznaczało, że osiągnie wysokość mniej więcej trzydziestu centymetrów. – I... tak, zamieszka z nami. Mama i ja doszliśmy do wniosku, że obie jesteście już wystarczająco duże. Będzie przede wszystkim twój, Reniu, ale Ania też będzie mogła się z nim bawić, dobrze?

Renia skinęła głową. Zupełnie jej nie przeszkadzało, że będzie musiała dzielić się szczeniakiem. Wciąż była oszołomiona faktem, że będą mieli własnego psa!

– Zabierzemy go do domu już dzisiaj? – zwróciła się do cioci Eli.

– Oczywiście! Ale najpierw musicie zjeść obiad. No i upiekłam dla ciebie drugi tort urodzinowy!

– Ojej! Muszę zadzwonić do Basi i powiedzieć jej, że będziemy mieć psa – szepnęła Renia. Ale po chwili popatrzyła na rodziców z niepokojem. – Czy nie będą nam potrzebne różne rzeczy? Koszyk… i miski… i… jeszcze wiele innych…

Ciocia Ela uniosła do góry palec.

– Chwileczkę – zniknęła w komórce, po czym wróciła z dużym kartonowym pudłem. – Proszę, oto doskonały zestaw dla szczeniaka. To prezent ode mnie, Reniu. Fred jest prezentem od rodziców, więc powiedziałam, że ja dam ci wszystko, co potrzebne, aby się nim właściwie opiekować. – Postawiła pudło przed dziewczynką. – Ale ono ciężkie!

Fred wiercił się w ramionach Reni, z zaciekawieniem usiłując zajrzeć do wielkiego pudła. Dziewczynka parsknęła śmiechem.

– Zdaje się, że ty i Ania będziecie o nie walczyć – powiedziała do pieska. – Ania uwielbia pudła. – Przytuliła go delikatnie. Ciągle nie mogła uwierzyć, że to naprawdę jej pies!

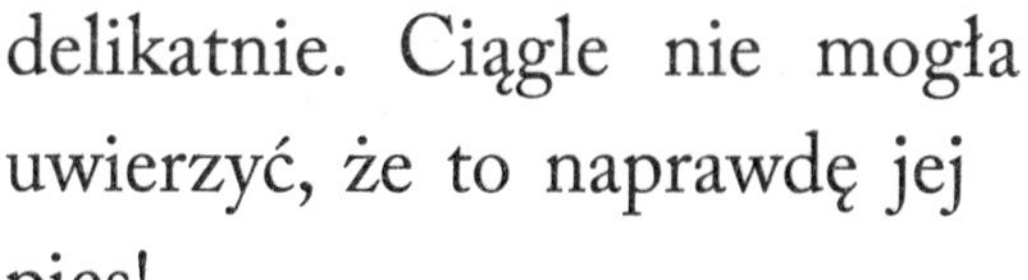

Rozdział drugi

Fred odbył dwudziestominutową podróż do domu Reni w specjalnym kartonowym pudełku z rączką na górze, które dała im ciocia Ela. Mama powiedziała, że Renia może go wyjąć, gdy tylko samochód zatrzyma się przed domem.

Kiedy Renia otworzyła pudełko, Fred był wciśnięty w kąt, ze swoim kocykiem w zębach, i wyglądał na bardzo zdenerwowanego. Zupełnie nie rozumiał, co się dzieje, i nie podobały mu się te wszystkie wstrząsy. Pudełko pachniało też dziwnie, jakby nowością i karmą. Cieszył się, że ma kocyk przesiąknięty zapachem domu, pozostałych szczeniąt, a także swojej mamy. Puścił go jednak na widok Reni i leciutko zamerdał ogonkiem. Nie wyszedł jednak ze swojego kąta.

– Hej, Fredziu... – szepnęła dziewczynka. – Wszystko w porządku? Bałeś się w czasie podróży samochodem?

Podpełzł bliżej i wsparł się przednimi łapkami o ścianę pudełka, podnosząc na nią pełen nadziei wzrok. Nie podobało mu się w środku. Chciał być głaskany i pieszczony. I nakarmiony. Był bardzo głodny.

Renia roześmiała się, gdy go podniosła, a on zaczął skubać jej kurtkę.

– Jesteś głodny? Ciocia Ela nie chciała cię karmić przed jazdą do domu, mówiła, że możesz się pochorować. Uznała, że lepiej będzie nakarmić cię już tutaj. Będziesz miał miłe wspomnienie z pierwszych chwil u nas. W twoim nowym domu!

Fred szczeknął. Było to ostre szczeknięcie, które żądało: „Nakarm mnie!". Szczeniak rozumiał, o czym Renia mówi. Ciocia Ela zawsze rozmawiała ze szczeniętami. „Trzeba cię nakarmić, hmm?" – mówiła, kiedy wyciągała pyszne psie ciasteczka.

– No to chodźmy! – Renia podążyła za mamą do środka, a tata ruszył za nimi, zgięty pod ciężarem wielkiego pudła, Ania z kolei tańczyła wokół nich, śpiewając krótką piosenkę o psie, którą właśnie ułożyła.

– Musimy wszystko rozpakować, a potem dostaniesz obiad – wyjaśniła dziewczynka Fredowi, stawiając go delikatnie na kuchennej podłodze. – Są tu twoje miski i wielki worek karmy, którą lubisz.

Fred jednak przez chwilę nie zwracał uwagi na jedzenie i rozglądał się po kuchni. Tata szybko zamknął drzwi.

– Pamiętaj, że przez kilka dni musimy trzymać go tutaj – zwrócił się do Reni. – Ciocia Ela mówiła, żeby najpierw przyzwyczaić go do jednego pomieszczenia.

– A poza tym tutaj jest terakota – dodała mama. – Jeśli załatwi się na podłogę, łatwo będzie to wytrzeć. Wiem, że ciocia już zaczęła uczyć go czystości, ale na pewno będzie trochę zagubiony i może nie pamiętać, że musi wychodzić na siusiu. Lepiej rozłóżmy też trochę gazet, tak na wszelki wypadek.

Renia ostrożnie rozpakowała pudło, podziwiając śliczne miski kupione przez ciotkę, na których namalowane były kości, zachwycił ją także koszyk z miękką czerwoną wyściółką.

– Patrzcie! Jest nawet obroża ze smyczą!

– O tak. Musimy przyczepić do niej tabliczkę z naszym numerem telefonu.

Tata pokiwał głową.

– Tutaj jest karma, mam ją otworzyć? Będziesz mogła go nakarmić.

Renia starannie odmierzyła miarką odpowiednią ilość karmy i wsypała ją do miseczki – ciocia Ela wytłumaczyła jej, jak dawkować jedzenie szczeniakowi wielkości Freda. Gdy postawiła miseczkę na podłodze, piesek natychmiast przestał obwąchiwać sprzęty kuchenne i podbiegł do miski niczym szkolony pies tropiący. Pochłonął karmę, po czym wylizał miseczkę, na wypadek gdyby coś jednak ominął. Potem długo pił wodę.

– Brzuszkiem prawie dotyka ziemi! – zauważyła Renia. To była prawda. Na swoich krótkich nóżkach jamnik i tak nie stał wysoko nad ziemią, a teraz jego brzuszek wyglądał jak mały balonik podczepiony pod resztę ciała. Szczeniak ziewnął szeroko, znowu oblizał pyszczek, po czym rozejrzał się w poszukiwaniu miejsca, w którym mógłby się położyć i odpocząć po sutym posiłku. Podszedł do koszyka, który Renia wyłożyła kocykiem od cioci Eli. Ciotka wyjaśniła, że kocyk przez kilka dni leżał w kojcu z Misią i szczeniętami, więc Fred będzie miał coś o znajomym zapachu.

– Oj, Aniu! – westchnęła mama.

Nowe posłanie Freda było już zajęte. Ania skuliła się w miękkim koszyku i głęboko spała. Szczeniak popatrzył na nią niepewnie, po czym odwrócił się i spojrzał na Renię, lekko unosząc uszka, a jego minka mówiła: „No i co ja mam teraz zrobić?”.

Mama delikatnie wyjęła Anię z koszyka, ale Fred był zdezorientowany. Stał przy stopach Reni i patrzył na nią błagalnie, więc dziewczynka uklękła przy nim. Wtedy wydał z siebie ciche westchnienie ulgi i wdrapał jej się na kolana, drapiąc pazurkami jej nogi, a następnie położył się i szybko zasnął.

Fred natychmiast przyzwyczaił się do nowego domu. Szczeniak nadal szybko rósł. Oczywiście ciągle był mały, bo nigdy nie miał wyrosnąć na dużego psa. W ciągu kilku kolejnych tygodni przestał również przesypiać tak znaczną część dnia jak wcześniej i stawał się coraz odważniejszy, a także nieco niegrzeczny. Uwielbiał bawić się w ogródku z Renią i Anią, lubił też kopać w grządkach kwiatowych. Potem radośnie podbiegał do dziewczynek, cały pokryty liśćmi i ziemią, po czym otrząsał się i je obsypywał.

Był też nadzwyczaj wścibski. Gdy tylko po kilku pierwszych dniach pozwolono mu wyjść z kuchni, dokładnie zbadał cały dom. Za każdym razem, kiedy Renia nie patrzyła, udawało mu się znaleźć sobie tajną kryjówkę, z której nie mógł się wydostać. Potem zaczynał wyć, by przyszła i go uratowała. Renia nie rozumiała, w jaki sposób piesek znajduje te miejsca, nie mówiąc już o dostawaniu się do nich. Gdy utknął za pralką, tata musiał odsunąć ją od ściany, by szczeniak mógł się uwolnić.

Jak na zwierzątko o tak krótkich nóżkach świetnie się wspinał, chociaż znacznie lepiej wychodziło mu wdrapywanie się pod górę niż schodzenie w dół. To go jednak nigdy nie powstrzymywało.

Mniej więcej tydzień po przybyciu Freda do domu Renia pierwszy raz wypuściła go samego do ogródka. Do tej pory zawsze z nim wychodziła, ale tym razem musiał wyjść na siusiu, a ona pomagała mamie w kuchni.

Właśnie nastawiła minutnik w piekarniku, żeby upiec ciasteczka czekoladowe, kiedy uświadomiła sobie, że piesek ciągle jest na dworze. Wyjrzała przez kuchenne okno, ale go nie dostrzegła.

– Może siedzi przy drzwiach i chce wejść do środka? – zasugerowała mama.

Ale nie siedział. Czując niepokój, Renia wybiegła na zewnątrz. Miała nadzieję, że Fred nie znalazł jakiejś dziury pod ogrodzeniem. Razem z tatą obeszli cały ogródek, szukając takich dziur, gdy tylko trafił do ich domu, ale może jakąś przeoczyli?

Biegała po ogródku, wołając z niepokojem:

– Fred! Fred!

Mama stanęła na werandzie, trzymając Anię na rękach, i popatrzyła na grządki kwiatowe.

Nagle Ania roześmiała się i wyciągnęła rączkę, a Renia usłyszała pełne przejęcia, ciche skomlenie gdzieś nad swoją głową.

– Fredziu! Jak tam wlazłeś?

Piesek stał w drzwiach jej domku na drzewie i niepewnie patrzył w dół. Renia dostała domek rok wcześniej na urodziny. Prowadziły do niego tajemne schodki przytwierdzone dookoła pnia. Oczywiście Fred zdołał wdrapać się na górę, ale nie miał pewności, czy potrafi zejść na dół.

– Oj, Fredziu! Nie powinieneś się wspinać!

Jamniki mają długie grzbiety, dlatego chodzenie po schodach nie jest dla nich zdrowe. Renia była zdumiona, że Fred w ogóle potrafił wejść tak wysoko. Wyciągnęła do niego ręce, a on z wdzięcznością dał się podnieść, by mogła go zdjąć na dół. Potem dwa razy obiegł cały ogródek dookoła, jakby lubił czuć pod łapkami twardy grunt.

Przygoda z domkiem na drzewie w ogóle nie nauczyła Freda ostrożności, na co po cichu liczyła Renia. Ciągle był tylko małym pieskiem, ale najwyraźniej wydawało mu się, że jest ogromny i w ogóle nie odczuwał strachu.

Kilka tygodni po przyniesieniu go do domu, po obowiązkowych szczepieniach i założeniu mikroczipu, Fred był gotowy na pierwszy spacer.

Renia wzięła jego śliczną niebieską smycz. Postanowili zabrać go do parku i wiedziała, że będzie zachwycony!

– Fred, nie ruszaj się! – próbowała przypiąć smycz do obroży, ale piesek ciągle się wiercił. Nigdy wcześniej nie chodził na smyczy, ale przeczuwał, że oznacza to coś ekscytującego. – Sprawdzę jeszcze twoją obrożę… szepnęła. Ciocia Ela powiedziała jej, że koniecznie trzeba ją dobrze dopasować. Nie może być zbyt luźna, bo się zsunie, ale też nie za ciasna, by nie obcierała szyi pieska. Dziewczynka powinna móc włożyć palec między kark Freda a obrożę. – Zapnę ją na następną dziurkę, bo jest trochę za ciasna. Fredziu, przestań skakać! – zachichotała, gdy znowu zaczął się wiercić i polizał ją po nosie.

Gdy wyszli, trochę się przejmowała, że szczeniak może się zdenerwować na widok przejeżdżających głośno i szybko samochodów. Piesek jednak skoczył radośnie naprzód, obwąchując wszystko, co mijali. Jego pazurki stukały o chodnik, gdy biegał to w jedną, to w drugą stronę, co jakiś czas pędząc do przodu, jeśli podchwycił kolejną interesującą woń. Dziewczynka ciągle musiała przystawać i odplątywać smycz ze swoich kostek.

– Wszystko w porządku, Reniu? Chcesz, żebym ja go poprowadził? – spytał tata. Mama szła z Anią, która sprawiała nie mniej kłopotów niż Fred, tyle że nie miała smyczy, niestety.

– Nie – pokręciła zdecydowanie głową. Czuła się odpowiedzialna za Freda i chciała się nim sama opiekować. Przecież spacer z psem nie stanowi chyba aż tak trudnego zadania?

W końcu dotarli do parku. Nie mieli daleko, ale szczeniak pokonał ze trzy razy dłuższy dystans, biegając do przodu, do tyłu i na boki, i wydawał się nieco zmęczony. Gdy tylko jednak ujrzał rozległą przestrzeń zielonej trawy, a także inne bawiące się psy, natychmiast się rozpromienił, a jego ogon kołysał się w powietrzu z boku na bok. Pieczołowicie obwąchał kilka kępek trawy, a potem ruszył za Renią jedną z alejek.

– Zobaczmy, czy mu się spodobają kaczki – zaproponował tata.

– O ile znam Freda, pewnie uzna, że są tam tylko po to, żeby mógł się z nimi bawić – westchnęła mama. Ruszyli jednak przez park w kierunku stawu z kaczkami. Ania biegła przodem, bo kaczki były jej ulubioną atrakcją.

– Uważaj, Aniu! – zawołała mama, widząc, że ścieżką nadchodzi mężczyzna z dużym owczarkiem niemieckim. Mała uwielbiała psy i chciała je wszystkie głaskać, nawet jeśli były bardzo duże, a może nawet groźne, tak jak ten.

Fred zauważył owczarka w tej samej chwili co Ania, i rzucił się naprzód, wyrywając smycz z dłoni Reni.

– Fred! – krzyknęła z przerażeniem, patrząc, jak pędzi przed siebie. Popatrzyła na swoją rękę, jakby spodziewała się, że wciąż powinna być w niej smycz. A potem biegiem ruszyła za nim.

Piesek podbiegł do wielkiego wilczura i zaczął głośno, piskliwie ujadać. Widział Anię stojącą obok tego większego psa. Była jego panią, nawet jeśli czasami spała w jego koszyku, zatem nie zamierzał pozwolić, by jakiś wielki, obcy pies ją straszył. Zatańczył wokół owczarka, szczekając tak długo, aż zabrakło mu tchu i musiał usiąść, ciężko dysząc.

Wilczur nie zamierzał wyrządzić Ani krzywdy, był również zbyt dobrze wyszkolony, by zrobić coś Fredowi. Wykonał niepewny krok w tył, w stronę swojego właściciela. Bał się, że ktoś może mieć do niego pretensje o złe zachowanie, co byłoby bardzo nie w porządku.

Właściciel pogłaskał go.

– W porządku, Taras. Siad, tak, grzeczny piesek.

Następnie mężczyzna schylił się i jedną ręką podniósł Freda, który wyrywał się, szarpał i szczekał.

Nadbiegła Renia, a tuż za nią mama i tata.

– Proszę – mężczyzna podał wiercące się szczenię dziewczynce.

– Bardzo przepraszam! To jego pierwszy spacer. Nie jest jeszcze przyzwyczajony do innych psów... – wyjąkała Renia z nadzieją, że właściciel owczarka na nią nie nakrzyczy.

– Przepraszamy! – wydyszał tata, podnosząc Anię. – Mam nadzieję, że nie zdenerwował pańskiego psa.

Fred ciągle szczekał na wilczura, który teraz siedział dostojnie, wyraźnie zadowolony z siebie, jakby wiedział, że on jest dobrze wychowany, a ten mały rozszczekany piesek – nie.

– Bądź ostrożna. Nie wszystkie psy są tak spokojne jak Taras – powiedział uprzejmie mężczyzna, zwracając się do Reni, po czym ukłonił się jej ojcu.

– Nie pozwolę, aby znowu uciekł – obiecała dziewczynka.

– Bardzo mi przykro! – odezwał się tata, mocno przytulając Anię, która z nadzieją wyciągnęła rączki, gdy duży wilczur przechodził obok. – Nie, Aniu, nie możesz go pogłaskać. Niepotrzebnie ci pozwoliliśmy, żebyś do niego podeszła.

– Wracajmy do domu, zanim zaczną się kolejne kłopoty – powiedziała z obawą mama, spoglądając z niepokojem na inne psy w parku.

Gdy owczarek i jego właściciel oddalili się parkową alejką, Renia mocno przytuliła Freda. Ciągle zerkał podejrzliwie na większego psa, a jego drobne ciało było naprężone ze zdenerwowania, gdy próbował się wyrwać.

– Oj, Fredziu – wyszeptała. – Ten pies mógłby zjeść takiego szczeniaka jak ty na śniadanie!

– I zostałoby mu miejsce na jeszcze kilka – dodał ponuro tata.

Rozdział trzeci

– Ale się najadłam wstydu – powiedziała Renia, rumieniąc się na wspomnienie owego katastrofalnego spaceru z poprzedniego dnia. – A potem, kiedy wracaliśmy do domu, spotkaliśmy drugiego dużego psa, labradora. I na niego Fred też naszczekał!

Renia spieszyła się tego ranka do szkoły, żeby porozmawiać z Basią przed wejściem do klasy. Przyjaciółka wiedziała o pierwszym spacerze szczeniaka zaplanowanym na weekend, bo w piątek Renia nie mówiła niemal o niczym innym.

Basia pokiwała głową.

– Ciekawe, czy to typowe dla małych psów? Moja babcia ma yorka, wabi się Billy i szczeka dosłownie na wszystko. Według babci wie, że jest mały, i czuje, że ma przez to wiele do udowodnienia. Może Fred z tego wyrośnie – powiedziała z lekkim powątpiewaniem.

Renia westchnęła.

– Może... Na ogół jest taki uroczy, sama wiesz. Ale nie mogę go oduczyć tego ciągłego szczekania! Mama rozmawiała przez telefon z ciocią Elą i ona doradziła, że powinniśmy zabrać go na szkolenie. Mama potem zadzwoniła i zapisała go na zajęcia, ale zaczną się dopiero za parę tygodni. Nie wiem, jak tyle wytrzymamy!

– Szkolenie na pewno mu pomoże. To nie jest zły pies. Po prostu jest zbyt hałaśliwy. Masz wspaniałego szczeniaka, Reniu – Basia uśmiechnęła się, przypominając sobie Freda. Kiedy w ubiegłym tygodniu przyszła do przyjaciółki na podwieczorek, skulił się na jej kolanach i zasnął. Gdy nadeszła pora, by Basia poszła do domu, Renia musiała podnieść go i przełożyć na swoje kolana, wciąż śpiącego i nieco bezwładnego, niczym pluszowa maskotka.

– Może po prostu musi się przyzwyczaić do innych psów? – zastanowiła się Renia. – A może masz rację i z tego wyrośnie? Ale do tego czasu muszę go bardziej pilnować.

Basia z namysłem zmarszczyła brwi.

– Nie mogłabyś na razie zabierać go na spacery w jakieś bardziej ustronne miejsce? – podsunęła. – Znaczy takie, w którym nie ma zbyt wielu psów.

Renia pokiwała głową.

– Dobry pomysł. Zapytam rodziców, czy takie miejsce przychodzi im do głowy. W przyszłym tygodniu zaczynają się ferie, więc będziemy mieć trochę więcej czasu na spacery. – Szybko uściskała przyjaciółkę, gdy zadzwonił dzwonek. – Co ja bym bez ciebie zrobiła!

Mamie spodobał się pomysł spokojnych spacerów. Uznała, że miłym początkiem ferii będzie przechadzka po lekcjach w piątkowe popołudnie.

– A może odpowiedni będzie ten las, obok którego przechodzimy, idąc na twoje lekcje tańca? Lasek Kamieniecki? – zaproponowała mama. – Ludzie wyprowadzają tam psy, ale nie sądzę, żeby w piątek po południu były tam tłumy.

– Byłoby super! – zgodziła się Renia.

Gdy w piątek skończyły lekcje, pożegnała się z Basią, która najbliższy tydzień miała spędzić u babci, po czym pobiegła do samochodu i wrzuciła do bagażnika worek ze strojem na WF.

Fred siedział w nowym drucianym transporterku i wydawał się dość niespokojny. Wciąż nie przepadał za jazdą samochodem i nie lubił być zamknięty w transporterku, ale przynajmniej miał w nim więcej miejsca niż wcześniej w kartonowym pudełku.

Do lasu jechało się mniej więcej kwadrans i wkrótce Renia wyjęła szczeniaka, pozwalając mu obwąchać trawiaste pobocze, przy którym zaparkowały. Stało tam tylko kilka innych samochodów i wyglądało na to, że las będzie pusty.

Był cudowny jesienny dzień, bardzo ciepły jak na październik, i Fred świetnie się bawił, biegając z Renią i rzucając się na sterty suchych liści. Liście wirowały wokół, podczas gdy on tarzał się, skakał i kłapał na nie zębami, warcząc, jakby były nadzwyczaj groźne. Był tak niski, że co jakiś czas znikał pod liśćmi, po czym wybiegał, otrząsał się i zaczynał zabawę od początku.

Renia tak się śmiała, że aż rozbolał ją brzuch. Uszy Freda łopotały, kiedy skakał, i wyglądał, jakby próbował wzbić się w powietrze.

– Ooo, rzeczka! – zawołała Ania z radością, gdy dotarli do strumyka płynącego między wysokimi, spadzistymi brzegami.

Był tam stary, chwiejący się drewniany mostek i dziewczynki stanęły na nim, by rzucać patyki i patrzeć, jak przepływają pod spodem. Fred patrzył na nie ze zdumieniem, nie rozumiejąc, po co ktoś marnuje patyki, wrzucając je do wody.

Zaskamlał i szarpnął smycz, bo chciał dalej badać okolicę, więc w końcu przeszli przez mostek, by zagłębić się w las.

Renia i Fred gonili Anię przez liście, gdy nagle piesek zatrzymał się i zaczął patrzeć w głąb krętej ścieżki, którą podążali. Renia doszła do wniosku, że coś usłyszał. Wyglądał tak, jakby nasłuchiwał każdym włoskiem na swoim ciele. Wtedy ona też to usłyszała: szczekanie, ale znacznie głębiej w lesie. Wyglądało na to, że jednak nie będą mieć tego miejsca tylko dla siebie.

– O, czyżby to inny pies? – odezwała się z niepokojem mama. – Trzymaj go mocno, Reniu. Albo ja mogę go wziąć, jeśli chcesz.

– Nie, w porządku – dziewczynka owinęła sobie smycz wokół ręki, a Fred wydał z siebie serię przenikliwych szczeknięć. Zaczął szarpać się na smyczy, chcąc popędzić za tamtym psem, lecz Renia mocno go trzymała.

Ania patrzyła na szczeniaka szeroko otwartymi oczami. Nie lubiła, kiedy Fred tak głośno szczekał. Cofnęła się, zamierzając złapać mamę za rękę, ale nie patrzyła, dokąd idzie. Potknęła się o korzeń i przewróciła, ocierając policzek o kamieniste podłoże.

– Ojej, Aniu! – mama podbiegła, żeby ją podnieść, a Ania zaczęła głośno płakać.

Fred był tak zdumiony dźwiękiem wydawanym przez dziewczynkę, że przestał szczekać. Też nie lubił hałasu, chyba że sam był jego sprawcą. Zaskamlał i pociągnął smycz, próbując uciec.

– Reniu, możesz wyjąć chusteczki z mojej torebki? – spytała mama, przyglądając się otarciom na twarzy młodszej córki.

Renia skinęła głową. Ale Fred ciągnął i szarpał smycz, a ona nie mogła rozpiąć suwaka torebki, jednocześnie go trzymając. Owinęła koniec smyczy o pobliską gałąź, by mieć wolne ręce.

– Proszę.

Piesek wiercił się niespokojnie. Nie podobało mu się zdenerwowanie Ani, a już z pewnością jej płacz. Gdy jednak mama znalazła w torebce kilka cukierków, mała w cudowny sposób się uspokoiła i pozwoliła opatrzyć skaleczenie. Fred przestał się więc nią martwić i zaczął badać gałąź, do której przywiązała go Renia.

Doszedł do wniosku, że to też mu się nie podoba. Nie mógł się ruszyć dalej niż na pół metra w każdą stronę, bo wtedy smycz się naprężała i obroża uwierała go w szyję. Nie mógł podejść i obwąchać kępy paproci, która pachniała tak, jakby było tam już kilka innych psów. Musiał to dokładnie sprawdzić. W dodatku poza swoim zasięgiem zobaczył odpowiednio duży patyk, by go pogryźć. To nie było w porządku! Otrząsnął się ze złością, aż zadzwoniły tabliczki przy jego obróżce.

– Dobrze, Fredziu, poczekaj chwilkę... – mruknęła Renia. Ale nawet się na niego nie obejrzała, wciąż przejęta siostrzyczką.

Piesek znowu się otrząsnął, a smycz zsunęła się z gałęzi i spadła na ziemię, tuż obok niego. Popatrzył na nią ze zdumieniem. Nie spodziewał się takiego efektu.

Gdyby Ania nie zaczęła znowu płakać, bo mama niechcący zbyt mocno potarła jej buzię, Renia zauważyłaby, co się stało, i zdążyłaby go złapać. Ale właśnie przytulała siostrę, by ją pocieszyć.

Fred popatrzył na nie z namysłem. Były zajęte. A przecież wychodzenie na spacer, żeby potem cały czas siedzieć na ścieżce, nie miało sensu. Oddalił się, radośnie obwąchując paprocie. Spodziewał się, że Renia i tak lada chwila go dogoni. Bez wątpienia był tu inny pies, może ten, którego szczekanie wcześniej słyszał? Szczeniak postanowił go znaleźć. Podreptał ścieżką z nosem przytkniętym do ziemi, podążając za zapachem i zostawiając Renię, Anię oraz ich mamę daleko w tyle.

– Nic jej nie będzie? – zaniepokojona Renia odezwała się do mamy. Skaleczenie wyglądało nieładnie i ciągle krwawiło, mimo że mama kilka razy je wytarła.

– Zagoi się – odparła mama. – Ale musimy wrócić do domu i porządnie je przemyć.

– Boli! – jęczała Ania. – I mój polar! Mój ulubiony polar! – Jej różowy polar w serduszka był z jednej strony cały ubrudzony błotem.

– Mama może go wyprać. Do jutra wyschnie, prawda, mamo? – Renia delikatnie przytuliła młodszą siostrę. – Fred nie chciał cię przestraszyć tym szczekaniem. Myślał, że słyszy innego psa. Prawda, Fredziu?

Odwróciła się, żeby na niego spojrzeć. Ale szczeniaka nie było.

Rozdział czwarty

Las pełen był rozśpiewanych ptaków i wiewiórek skaczących po gałęziach. Fred był tak mały i biegł tak cicho, że nie wydawał prawie żadnego hałasu, nie licząc cichego szurgotu smyczy, która ciągnęła się za nim przez liście. Dzięki temu widział znacznie więcej zwierząt niż kiedykolwiek wcześniej. Z drzewa na drzewo z trzepotem skrzydeł przefruwał rudzik, zupełnie jakby go prowadził, i zafascynowany piesek podążał za nim.

Las był stary i rosły w nim ogromne drzewa o dziwnych, poskręcanych korzeniach, tworzących mostki i wykroty wzdłuż drogi. W przypadku tak małego pieska naturalne było, że spróbuje się między nimi przeciskać, zamiast obchodzić je dookoła, lecz niestety zapomniał o swojej smyczy. Podążał za ptaszkiem, kiedy nagłe gwałtowne szarpnięcie pociągnęło go w tył. Pisnął i odwrócił się, przekonany, że Renia dogoniła go i złapała koniec smyczy. Podniósł rozgniewany wzrok. Dlaczego go nie zawołała, zamiast go tak ciągnąć? Dziewczynki jednak nie było.

Jego smycz zaczepiła o sterczący korzeń, i to mocno, jak się przekonał, gdy spróbował ją pociągnąć, tak jak wcześniej. Fred wił się, skamlał, piszczał i szarpał, ale w niczym to nie pomagało. Tym razem smycz nie chciała puścić.

Szczeniak usiadł, ciężko dysząc. Wszystko było tak samo jak chwilę wcześniej – znów nie mógł się ruszyć, kiedy chciał badać teren wokół i się bawić. Znowu spróbował pociągnąć, ale tym razem w drugą stronę, cofając się, by ściągnąć obrożę, zamiast odczepić smycz.

Renia jak zwykle sprawdziła obrożę przed wyjściem, chcąc się upewnić, że jest odpowiednio luźna, by nie obcierać go ani nie uwierać. Dzięki temu, jeśli Fred nie miał nic przeciwko temu, by przygnieść sobie uszy i bardzo mocno się szamotać, ściągnięcie obroży nie mogło być trudne.

Wyskoczył niczym korek z butelki i przewrócił się w tył, lądując w stercie liści. Podniósł się i z zaciekawieniem obwąchał swoją obrożę i smycz. Z jakiegoś powodu nie chciał ich zostawiać. Był jednak pewien, że Renia szybko przyjdzie i zabierze dla niego tę niewygodną smycz. Wtedy pozwoli założyć ją sobie znowu, jeśli dziewczynka zechce z nim pobiegać, zamiast stać w miejscu i psuć fajny spacer.

Ruszył przez leśne poszycie. Stracił rudzika z oczu, ale zobaczył teraz intrygujące stworzenie o popielatej sierści, które przemykało przez gałęzie nad nim. Nie miał pojęcia, co to takiego, ale skaczące zwierzę bardzo go kusiło i miał nadzieję, że może zejdzie trochę niżej. Zaszczekał na nie, ale ono tylko przyspieszyło i wdrapało się wyżej, aż piesek musiał zacząć biec, by za nim nadążyć.

– Fred! Fred! – dobiegło go odległe wołanie. To była Renia i go wołała. Przystanął na chwilę, ale wiewiórka też się zatrzymała, spoglądając na niego w dół z taką bezczelnością, że nie mógł przestać jej ścigać. Za chwilę spróbuje znaleźć Renię, gdy tylko złapie tego zwierzaka. Znowu puścił się pędem, a wiewiórka skakała przed nim z gałęzi na gałąź.

Ścigał ją tak desperacko, że niemal wpadł na starszą panią, która stała w paprociach i trzymała lornetkę.

– Ciii! – syknęła kobieta ze złością.

Fred zatrzymał się i spojrzał na nią ze zdziwieniem. Zachowywała się tak cicho, że po prostu jej nie zauważył.

Rozległ się trzepot skrzydeł i dwa ptaki odfrunęły, skrzecząc ze strachu. Piesek patrzył za nimi i znowu zaczął ochoczo szczekać.

Starsza pani westchnęła.

– Spłoszyłeś je, głupi psiaku – i dopiero wtedy zauważyła, że jest sam. – Gdzie twój właściciel, hmm? – Rozejrzała się, w nadziei, że ktoś przybiegnie za nim, ale w lesie panowała cisza. – Nie masz obroży! Czyj jesteś? Nie powinni ci pozwolić biegać tutaj samemu, zwłaszcza że niedaleko jest droga. Chodź... Chodź, piesku...

Wyciągnęła do niego rękę, ale Fred słyszał wcześniej jej zirytowany głos, gdy spłoszył ptaki, i teraz jej nie ufał. Cofnął się nerwowo, a gdy zrobiła krok naprzód, by go złapać, rzucił się do ucieczki.

Popędził przez krzaki z powrotem do ścieżki, nagle żałując, że nie ma przy

nim Reni. Znajdzie ją, a potem może zdołają razem złapać dziwne włochate zwierzątko, które skacze po drzewach. Biegł ścieżką, spodziewając się, że zaraz dotrze do wysokich drzew, gdzie zgubił smycz, a potem, trochę dalej, znajdzie mamę, Anię i, co najważniejsze, Renię.

Lecz gdy pokonał niewielki odcinek drogi, dotarło do niego, że to nie jest właściwa ścieżka. Rozejrzał się i nagle stwierdził, że wszystkie drzewa wydają się większe i ciemniejsze, że wyglądają zupełnie inaczej niż tamte. Nie miał pojęcia, gdzie się znajduje, ani gdzie jest Renia. Fred zabłądził.

– Ale nie możemy go tak po prostu zostawić! – Renia z przerażeniem patrzyła na mamę.

– Córeczko, musimy wracać, niestety. Szukamy go już bardzo długo. – Mama trzymała na rękach Anię, która łkała żałośnie, a zadrapanie na jej buzi ciągle lekko krwawiło. – Muszę zabrać Anię do domu, żeby przemyć jej buzię. Nie oczyściłyśmy właściwie rany przez dobrą godzinę.

– Jeśli teraz pójdziemy do domu, możemy nigdy nie znaleźć Freda! Poszukajmy jeszcze pięć minut, mamo, proszę. – Dziewczynka rozejrzała się z rozpaczliwą nadzieją, że szczeniak nagle wyskoczy z zarośli i wszystko znowu będzie dobrze. Szukały już chyba wszędzie, nawołując go raz po raz.

Wyglądało na to, że Fred zniknął na dobre.

– Dzwoniłam do taty. Wyjdzie wcześniej z pracy, żebyście od razu mogli tu wrócić i szukać dalej. Bardzo mi przykro, kochanie, ale musimy wracać do domu. – Mama ruszyła ścieżką, niosąc Anię.

Renia stała na środku ścieżki i niepewnie spoglądała to w jedną, to w drugą stronę. Nie mogła znieść myśli o zostawieniu Freda. Może coś go przestraszyło i postanowił się schować? Może już za chwilę wyjdzie, jeśli będą cicho?

– Reniu, proszę! – zawołała mama, kierując się na mostek nad strumykiem.

Dziewczynka powlokła się za nią, starając się powstrzymać płacz. Zanim jednak doszły do samochodu, po jej twarzy płynęły łzy.

Fred podreptał inną ścieżką, węsząc z nadzieją. Był pewien, że czuje zapach Reni, ale wonie mieszały się z sobą. Nic z tego nie rozumiał. Na dodatek był głodny. Pragnął być z Renią w domu i zjeść podwieczorek.

W tym momencie usłyszał szmer strumienia i ruszył naprzód, po czym znad wysokiego brzegu popatrzył na wodę. Pamiętał, że przeszli nad strumieniem, i to zanim Ania się przewróciła.

Usiadł na brzegu. Czy powinien znowu przejść na drugą stronę, czy nie? Zaskamlał żałośnie, żałując, że nie pobiegł do Reni, kiedy go wołała. Zdecydował, że nie przejdzie z powrotem. Był pewien, że dziewczynka czeka na niego w miejscu, w którym ją zostawił. Przy tych wielkich drzewach, gdzie Ania się przewróciła. Musiał je tylko odszukać. Odwrócił się od strumienia i ruszył z nosem przy ziemi, chcąc odnaleźć właściwą drogę. Lecz przez las chodziło wcześniej wiele psów, co nie pozwalało mu się skupić i ciągle gubił zapach Reni.

Zaczynało się ściemniać i las pogrążył się w półmroku, wypełniając się dziwnymi dźwiękami, szmerami i z rzadka śpiewem ptaków. Fred pierwszy raz zaczął się zastanawiać, co jeszcze może kryć się w lesie oprócz zwierzęcia, które gonił. Był ciekaw, czy jest tu także coś większego.

W półmroku piesek nie zauważył, że zawędrował wzdłuż strumienia dalej, w miejsce, gdzie woda przepływała pod ogrodzeniem szeroką metalową rurą. Był tak mały, że nie zwrócił na ogrodzenie większej uwagi, po prostu przeszedł pod nim i nie dostrzegł zakopanej w brzegu rury. Zdziwił się więc, gdy znalazł się niemal przy końcu drogi.

Minął zakręt ścieżki i zatrzymał się, patrząc na szerokie pobocze drogi prowadzącej do lasu. Znał to pobocze! Był tego pewien, mimo że nie przekroczył strumienia ponownie. Miejsce, w którym zostawili samochód, znajdowało się niedaleko. Ale teraz było puste.

Odjechały bez niego!

Rozdział piąty

Fred usiadł na ścieżce i zawył żałośnie. Znalazłby Renię, był tego pewien. Ale wyglądało na to, że odjechała bez niego. Nie mógł zrozumieć, dlaczego pojechała i go zostawiła. Już go nie chciała? A może gniewała się, że przestraszył Anię?

Zaskamlał, patrząc na drugą stronę ulicy, na miejsce, gdzie powinien stać samochód. Potem się obrócił, podkulając ogon, a z jego gardła zaczął się wydobywać cichy warkot.

Za nim znajdował się wysoki mężczyzna, który biegł ścieżką, w szerokich spodniach od dresu, które połyskiwały nawet w narastającym mroku.

– Ej, w porządku? Prawie na ciebie wszedłem, prawda, biedny maluchu. Przepraszam, nie zauważyłem cię. Biegłem i cię nie zauważyłem. – Mężczyzna przykucnął, ciężko dysząc, i z uśmiechem popatrzył na Freda. – Chyba jesteś najmniejszym psiakiem, jakiego widziałem.

Piesek popatrzył na niego podejrzliwie, przypominając sobie kobietę, która go wcześniej zbeształa.

Mężczyzna łagodnie wyciągnął rękę i Fred ją obwąchał. Ten człowiek pachniał innym psem, co mu się nie podobało, ale poza tym miał wrażenie, że może mu zaufać. No i nie wiedział, co innego miałby zrobić.

– Czyj jesteś? Nie jesteś bezdomny, widać, że o ciebie dbano. Masz śliczną lśniącą sierść i nie jesteś chudy, chociaż taki z ciebie maluch. Gdzie masz smycz? Pewnie zrzuciłeś obrożę, tak? Ty mały łobuzie. Ktoś na pewno bardzo się o ciebie martwi.

Fred cofnął się nieco, gdy mężczyzna

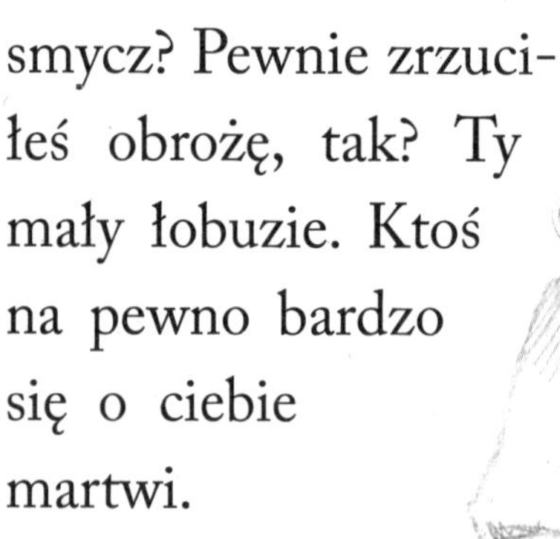

wsunął rękę do kieszeni, ale wyciągnął z niej tylko coś w szeleszczącym papierze, a następnie to odwinął. Odłamał kawałek i wyciągnął do pieska.

– Może to nie najlepsza rzecz, jaką można dać psu, ale mały kawałek ci nie zaszkodzi. Spróbuj, piesku. Dobre? W każdym razie ja je lubię po bieganiu. To jest batonik zbożowy.

Pachniało słodko i Fred poczuł się bardziej głodny niż kiedykolwiek. Pobiegł naprzód i wyrwał batonik z ręki mężczyzny, pochłaniając go jednym kłapnięciem.

– Dobre, prawda? Chcesz jeszcze? Jestem ciekaw, do kogo należysz. Pewnie przyszedłeś tu na spacer z właścicielem, bo w pobliżu nie ma domów, a ty jesteś za mały, żeby pokonać sam tak długą drogę. – Mężczyzna z namysłem rozejrzał się dookoła. – To gdzie on jest, hmm? Nie zostawiałbym cię tu samego, bo zaczyna się ściemniać.

Znowu wstał i rozejrzał się.

– Halo! Czy komuś zaginął pies?

Okrzyk poniósł się echem między drzewami, ale nikt nie odpowiedział. Jedynym dźwiękiem było ciche bębnienie, zaczął bowiem padać deszcz.

– Zaraz zupełnie zmokniemy – mężczyzna popatrzył na Freda, który trząsł się i cofał w krzaki. – Przepraszam, piesku. Przestraszyłem cię, kiedy tak krzyknąłem?

Odłamał jeszcze kawałek zbożowego batonika i tym razem szczeniak skubnął go z jego ręki, pozwalając się pogłaskać po łebku i uszkach.

– Uroczy z ciebie piesek, co? – westchnął. – Co z tobą zrobimy, oto jest pytanie. Nie ma tu już żadnych samochodów i nikogo nie słyszę. Nie mogę cię tu po prostu zostawić zupełnie samego. Nie wyglądasz, jakbyś miał jakiekolwiek poczucie orientacji w terenie...

Znowu wyciągnął rękę i tym razem Fred obwąchał ją z zapałem, licząc na więcej jedzenia. Mężczyzna jednak podniósł go delikatnie, ale wystarczająco mocno, by piesek nie czuł, że może spaść. Szczeniak wtulił się w ciepłą bluzę mężczyzny i poczuł się odrobinę lepiej. Ma się rozumieć, ten człowiek nie mógł się równać z Renią, ale był spokojny i przyjazny, a to słodkie jedzonko, którym go poczęstował, okazało się bardzo smaczne.

– No to chodź. Lepiej wezmę cię do domu, a potem do schroniska – położył go sobie w zgięciu łokcia i ruszył ścieżką naprzód.

Fred obejrzał się na drzewa i zielonkawy mrok gęstniejący między nimi. Nie podobało mu się tutaj. A co, jeśli Renia po niego wróci, a jego nie będzie? Zaczął się wiercić w rękach mężczyzny i zawył. Musiał zostać i zaczekać na Renię! Bo przecież ona na pewno przyjdzie. A on nie będzie na nią czekał!

– Ciii, ciii, wiem. Ale nie mogę cię tu zostawić, mały. Nie martw się. Znajdziemy twojego właściciela, obiecuję – mężczyzna zmarszczył brwi. – No, przynajmniej mam taką nadzieję…

W drodze powrotnej do lasu z tatą Renia niespokojnie wyglądała przez okno. Czytała tak wiele historii o psach, które odnajdywały drogę do domu, że niemal spodziewała się zobaczyć Freda podążającego ulicą w kierunku ich domu.

– Tato! – wskazała trawiaste pobocze. – Zaparkowałyśmy tutaj i poszłyśmy tą dróżką. – Spojrzała na zegarek. Minęła godzina, odkąd stąd odjechały. Musiała poczekać, aż tata wróci do domu, a potem od razu przyjechali tutaj. Fred zaginął zatem dwie godziny temu.

Tata zaparkował samochód.

– No to chodźmy. – Wyszedł i zerknął w ciemniejący las. – Nie martw się,

Reniu. Pewnie po prostu schował się przed deszczem.

Renia zadrżała. Z jakiegoś powodu las wyglądał o wiele mniej przyjaźnie, niż gdy były tu wcześniej, kiedy jesienne słońce świeciło jasno. Wyprostowała jednak ramiona i ruszyła z determinacją wzdłuż ścieżki, nawołując Freda. Musiał gdzieś tu być.

– Pamiętasz, gdzie Ania się przewróciła? – spytał tata, podążając za nią. – Może Fred miał dość rozsądku, żeby wrócić tam, gdzie go zostawiłaś.

– Myślę, że tak. To nie było daleko, po drugiej stronie strumienia – Renia ruszyła naprzód i przeszła przez mostek, wciąż rozglądając się na boki i wołając, aż rozbolało ją gardło. – Nie rozumiem, dlaczego nie przychodzi –

zwróciła się do taty, gdy zatrzymała się na szczycie niewielkiego wzniesienia i zaczęła się bezradnie rozglądać dookoła. – Wiem, że jest niegrzeczny, ale w ogródku zwykle przychodzi, kiedy go wołam. Wie, że dam mu smakołyki i go pogłaszczę. Dlaczego nie chce teraz do nas wrócić? – oparła się o tatę, starając się nie rozpłakać. Wiedziała, że gdyby zaczęła, już nie zdołałaby przestać.

– Reniu, nie martw się. Tu na pewno jest wiele fascynujących dla psa zapachów... – tata ją objął. – Pewnie pobiegł za wiewiórką albo innym zwierzęciem. No i nie zapominaj, jak to wyglądało, kiedy spotkał wilczura w parku. Może pobiegł za innym psem?

– Racja, słyszałyśmy jakieś szczekanie – dziewczynka pokiwała głową. –

Ale wydawało się, że dobiega z bardzo daleka. Tato, on może być wszędzie – dodała. – A jeśli wybiegł na drogę? – szepnęła.

Tato westchnął i przytulił ją mocniej.

– Nie sądzę, żeby to zrobił. Nigdy wcześniej nie próbował, prawda?

– Był tylko na kilku spacerach – zauważyła żałośnie. – A gdyby zobaczył innego psa, mógłby to zrobić.

Tata pokręcił głową.

– Nie miał żadnego powodu, żeby wyjść na drogę. Pewnie siedzi pod drzewem i na ciebie czeka. Jak go znam, będzie zły, że go zostawiłaś! – Wiedziała, że tata stara się być optymistą, ale to niewiele pomagało.

Dalej szła i wołała, ale nie doczekała się ani Freda, ani choćby szczeknięcia w odpowiedzi.

– Hej, co to? – spytał tata, wskazując coś niebieskiego wśród poplątanych korzeni.

– Jego smycz! To smycz Freda! – Serce zaczęło jej walić, gdy sięgnęła po smycz z nadzieją, że zobaczy gdzieś obok swojego pieska skulonego we śnie. Czasami spał bardzo głęboko. Mógł nie usłyszeć ich wołania.

Ale obok smyczy znalazła tylko obrożę Freda.

– Oj, Fredziu... – szepnęła.

– Musiała mu się zsunąć – stwierdził ponuro tata. – No, przynajmniej wiemy, że tu był. Chodź, szukajmy dalej. Mamy jeszcze z pół godziny, zanim zrobi się zupełnie ciemno.

Renia przełknęła ślinę, patrząc na potężne drzewa. W całym lesie pełno było nor i kryjówek, a w dodatku z każdą chwilą ściemniało się coraz bardziej. Bała się, mimo że był z nią tata.

A skoro ona się bała, gdy zapuścili się głębiej między drzewa, to jak wystraszony musiał być osamotniony Fred!

Rozdział szósty

– Szkoda, że nie wiem, jak się nazywasz – zwrócił się mężczyzna do jamniczka, niosąc go drogą prowadzącą w stronę miasta. – Chyba będę musiał mówić do ciebie „piesku”. Przy okazji, mam na imię Jacek – dodał, uśmiechając się do szczeniaka, który kulił się w jego ramionach i niespokojnym wzrokiem patrzył na wszystko, co mijali. – Pójdziemy do mnie, tylko na trochę, a potem zawiozę cię do schroniska. Miejmy nadzieję, że tam przyjdzie twój właściciel i cię zabierze…

Fred podniósł wzrok na twarz Jacka, lekko kładąc uszy po sobie. W głosie mężczyzny znowu pobrzmiewała troska i pieskowi się to nie podobało.

– Tak, wiem. Na pewno nikt nie zostawiłby cię celowo… – westchnął. – Tak czy owak, jesteśmy prawie w domu. Poznasz Mikiego – roześmiał się. – Miki będzie bardzo zaskoczony, gdy cię zobaczy. Wyszedłem tylko na szybką przebieżkę.

Zaczął szukać kluczy w kieszeniach spodni od dresu, gdy dotarli do niewielkiego domu pomalowanego na biało. Fred wysunął łebek w przód, uważnie nasłuchując. Słyszał chrobot pazurów o twardą podłogę i ciekawskie węszenie. Tam był inny pies! Pewnie ten, którym pachniał mężczyzna. Szczeniak poruszył się niespokojnie w ramionach Jacka. Zazwyczaj szczekał na inne psy, ale wtedy był z Renią. Fred chciał, by wszyscy wiedzieli, że dziewczynka jest jego panią i że on opiekuje się zarówno nią, jak i Anią.

Gdy drzwi się otworzyły, powoli wyjrzał zza nich złotobrązowy łeb z oczami, które podejrzliwie popatrzyły na Freda.

– Cześć, piesku. Przyprowadziłem gościa. Nie bój się, raczej nie zostanie zbyt długo. – Jacek mocno przytrzymał Freda jedną ręką i nachylił się, by czule pogłaskać swojego starego golden retrievera, szepcząc miłe słowa.

– Co za szczęście, że taki dobry z ciebie pies, Miki. Nie jesteś zazdrosny. Ten szczeniak się zgubił, biedactwo. Musimy pomóc mu wrócić do domu, to wszystko.

Miki z namysłem obejrzał Freda, a mały jamnik odpowiedział spojrzeniem. Potem większy pies kilka razy machnął długim, kudłatym ogonem, bardzo powoli, i odwrócił się, by podreptać z powrotem do kuchni na swoją poduszkę.

– Musisz być łagodny dla Mikiego – zwrócił się Jacek do szczeniaka. – To stary dżentelmen. Ma dwanaście lat i trochę kuleje. Nie drażnij go! – Odstawił Freda i uważnie się przyglądał, chcąc zobaczyć, czy psy dojdą do porozumienia. Wiedział, że Miki jest bardzo spokojny, ale nie przywykł do obecności innych psów w domu.

Fred rozejrzał się nerwowo, a potem poczłapał za Jackiem, który także skierował się do kuchni.

– Gdzieś tu miałem ulotkę ze schroniska Dębina. Chciałem im wysłać trochę pieniędzy… – mamrotał mężczyzna, przeszukując stertę papierów. – A teraz zamiast nich wyślę im psa w kształcie parówki! – odnalazł ulotkę pełną zdjęć psów. – O, jest. Jak tam u was, w porządku? – opuścił oczy na Mikiego, skulonego teraz w legowisku. Fred dokładnie obwąchiwał szafki kuchenne i utrzymywał dystans do większego psa. – Dobra. Zadzwońmy do nich – wstukał numer, po czym westchnął. – Mogłem się spodziewać. Już szósta. Nikt nie odbiera. – Powoli odłożył słuchawkę na podstawkę i wbił wzrok w Freda. – I co my z tobą zrobimy, psinko? Chyba trzeba cię nakarmić. Ten zbożowy batonik na pewno nie wystarczy.

Wyjął z szafki małą miskę i postawił ją w niewielkiej odległości od dużej psiej miski Mikiego, po czym do obydwu nasypał karmę z wielkiej torby.

Fred rzucił się na nią tak, jakby nie jadł od kilku dni, i pochłonął całą swoją porcję.

– Mam nadzieję, że ci nie zaszkodzi, jeśli raz zjesz karmę dla psów seniorów – powiedział Jacek, z uśmiechem patrząc, jak piesek zajada suche chrupki. – Dam ci jeszcze wody.

Szczeniak skończył jeść, po czym pił przez dłuższą chwilę. Później popatrzył na Mikiego, który ciągle powoli jadł ze swojej miski. Podszedł trochę bliżej i większy pies odwrócił się, by posłać mu bardzo znaczące spojrzenie: „Nie zbliżaj się do mojego obiadu”.

Fred cofnął się, sunąc na zadku po podłodze, po czym schował się pod kuchennym stołem. Kiedy Miki skończył, poczłapał z powrotem na swoje posłanie na popołudniową drzemkę.

– Musisz bardziej uważać, piesku – zwrócił się do Freda mężczyzna, głaszcząc go po łebku. – Miki jest od ciebie znacznie większy i to jego dom.

Lecz Fred był pieskiem z natury pewnym siebie, a przy tym tak naprawdę nie rozumiał, jaki jest mały. Zaczynał się tu czuć coraz bardziej swobodnie i podskoczył do Mikiego, by się mu przyjrzeć, z łebkiem przechylonym w bok.

Miki odpowiedział spojrzeniem, opierając pysk o skraj poduszki. Miał piękne, płowozłote umaszczenie, ale wokół pyska i oczu jego sierść stawała się srebrzysta. Ziewnął, odsłaniając bardzo duże zęby, i Fred znowu zrobił krok w tył, patrząc teraz z większym szacunkiem.

Ale nawet zęby nie powstrzymały go na długo. Fred nie przywykł do tego, że go ignorują. Podszedł do Mikiego i głośno na niego zaszczekał.

Miki postawił uszy. Ten mały piesek na niego szczekał, i to teraz, gdy chciało mu się spać!

Jacek zbliżył się o kilka kroków. Ufał Mikiemu, ale wolał nie ryzykować.

Fred z ekscytacją zamerdał ogonem i znowu zaszczekał, tym razem głośniej, chcąc wywołać u dużego psa jakąś reakcję.

Miki podniósł wzrok na Jacka, szeroko otwierając oczy, jakby mówił: „Ratuj mnie od niego!”, lecz mężczyzna tylko patrzył, lekko się uśmiechając.

Fred podpełzł bliżej z opuszczonym łebkiem i przednimi łapkami położonymi płasko na podłodze, szczekając, skamląc i kołysząc ogonem. Zaczynało mu się to podobać. Może ten duży pies się go bał?

Miki wydał z siebie głębokie, zirytowane westchnienie, po czym wstał, górując nad bezczelnym szczeniakiem. Wyciągnął grubą, złocistą łapę i stanął na długim uszku jamnika.

Fred wił się i skamlał, ale Miki przygwoździł go do podłogi. Przekaz był oczywisty: „To mój dom. Masz robić, co ci się każę!”.

Szczeniak przewrócił się na grzbiet – na ile mógł z uchem przyciśniętym do podłogi – wymachując łapkami w powietrzu, by pokazać, że się poddał, i w końcu Miki cofnął łapę. Fred pozostał na grzbiecie, przepraszająco odsłaniając brzuszek, dopóki Miki nie usiadł na posłaniu.

W końcu szczeniak odwrócił się i pełzł naprzód, zbliżając się do poduszki pod czujnym okiem Mikiego. Na skraju posłania podniósł pełen nadziei wzrok i stary pies trącił go nosem. Z cichym, zadowolonym piskiem Fred wdrapał się na poduszkę i usiadł obok Mikiego. Raz po raz zerkał jednak w górę na dużego psa, upewniając się, czy nie czeka go ponowne przydepnięcie ucha.

Jacek parsknął śmiechem.

– Pokazałeś mu miejsce w szeregu, co, Miki? Możesz się z nim podzielić posłaniem?

Miki westchnął i osunął się na poduszkę, spychając jamnika na sam skraj. Ale szczeniakowi najwyraźniej to nie przeszkadzało. Zamknął oczy i przytulił się do szerokiego grzbietu Mikiego, na wpół leżąc na większym psie – a potem oba zwierzaki zapadły w sen.

– Gdzie Fred? – spytała Ania, gdy Renia otworzyła drzwi kuchni, a z jej dłoni smętnie zwieszała się smycz.

Młodsza siostrzyczka siedziała przy stole z mamą i jadła pokrojone w paski tosty z jajkiem – swój ulubiony podwieczorek. Na skaleczonej twarzy miała duży kwadratowy opatrunek z gazy, ale wydawała się znacznie weselsza niż w parku.

Renia przełknęła ślinę, po czym odwróciła się i pobiegła na górę do swojego pokoju. Nie była w stanie udzielić Ani wyjaśnień. No i musiała jeszcze powiedzieć cioci Eli, że zgubili jej ulubionego szczeniaka!

Usiadła na podłodze, opierając się plecami o ciepły kaloryfer i pociągając nosem. Fred też lubił tu siadać. Nie wolno mu było spać w jej pokoju, ale czasami zanosiła go tam, żeby się z nim pobawić.

Drzwi pokoju skrzypnęły i powoli się otworzyły, po czym wyjrzała zza nich Ania.

– Jesteś zła? – zapytała.

Renia pokręciła głową. Nie chciała złościć się na Anię. Przecież siostra nie przewróciła się specjalnie.

– Czy Fred uciekł, bo się przewróciłam? – spytała ze smutkiem Ania.

Renia wyciągnęła ręce, by siostrzyczka podeszła i się do niej przytuliła.

– To nie twoja wina. Powinnam lepiej go pilnować.

– Ależ Reniu! Pomagałaś mi zająć się Anią – dziewczynka nie zauważyła, że do pokoju weszła także mama. – To był tylko nieszczęśliwy wypadek. Na pewno go znajdziemy. Tata może zabrać cię do lasu z samego rana.

Starsza córka pokiwała głową, ale po policzkach płynęły jej łzy.

– Fred na pewno bardzo się boi, mamo. Jest tak ciemno. Tutaj są latarnie, ale tam, w lesie, wcale ich nie ma! Musi być przemarznięty i głodny.

Mocniej przytuliła Anię, a siostrzyczka dosłownie się do niej przykleiła.

– Jutro go znajdziemy, obiecuję – powiedziała mama.

Renia pokiwała głową. Ale jak mama mogła składać takie obietnice, skoro nikt nie wiedział, gdzie jest Fred?

– Hej, piesku!

Fred ziewnął i otworzył oczy. Dlaczego Renia budziła go w nocy?

Potem usiadł, jak należy, i w panice rozejrzał się dookoła. To nie była Renia!

– Ciii, nie bój się. Pomyślałem, że przyda ci się krótkie wyjście do ogrodu, zanim pójdę spać. Nie mam pewności, czy jesteś już nauczony czystości – Jacek otworzył tylne drzwi i zapaliło się światło rzucające do kuchni pomarańczowy blask. Nagle Fred przypomniał sobie, gdzie jest.

A raczej – gdzie nie jest. Nie był w domu, w swoim ulubionym czerwonym koszyku, ze śpiącą na piętrze Renią. Zgubił się.

Zaskamlał, wyglądając do ciemnego ogrodu.

– Wiem, że tęsknisz za domem. Mam nadzieję, że jutro znajdziemy twoich właścicieli. Rano znowu zadzwonię do schroniska – Jacek podniósł go i wyniósł do ogrodu. – Idź, szybko zrób siusiu, a potem możesz znowu położyć się spać.

Fred wyszedł na trawnik, czując zapach mokrej trawy. Wszystko było tu inne i dziwne! Gdzie się podziała Renia? Dlaczego po prostu na nią nie zaczekał? Wtedy byłby już w domu.

Usiadł, podniósł łebek ku niebu i zawył.

Rozdział siódmy

– A jeśli ktoś go znalazł i nie wie, do kogo należy? – powiedziała Renia z niepokojem, oglądając się na tatę, gdy wczesnym rankiem spieszyli do lasu. Było zimno i liście wirowały na lodowatym wietrze.

– Pamiętaj, że ma czip identyfikacyjny – zauważył tata. – Jeśli ktoś zabierze go do weterynarza albo do schroniska, tam sprawdzą czip i do nas zadzwonią.

– To dlaczego jeszcze nie dzwonią? – załkała Renia. – Może zaklinował się w borsuczej norze? Ciocia Ela mówiła, że dawno temu jamniki hodowano właśnie do wypędzania borsuków z nor. Czy w Lasku Kamienieckim są borsuki, tato?

– Możliwe – przyznał tata. – Ale nie sądzę, żeby Fred za jakimś pobiegł...

– Na pewno by go pogonił! – odparła ze smutkiem dziewczynka. – Przecież nawet temu wilczurowi próbował pokazać, kto tu rządzi, prawda?

– Przepraszam... – rozległ się za nimi chrapliwy głos.

Renia odwróciła się, zaskoczona. Była tak skupiona na wyobrażaniu sobie Freda zaklinowanego w borsuczej norze, że nie zauważyła starszej pani, która nadeszła ścieżką za nimi. Nie spodziewała się, że o wpół do ósmej rano będzie tu ktoś jeszcze.

– Zaginął państwu pies? Przepraszam, słyszałam wołanie…

– Tak! – odparł tata, a dziewczynka podbiegła do kobiety.

– Widziała pani mojego szczeniaka? – spytała. – Wie pani, gdzie jest?

– Mały podpalany jamnik? Widziałam go wczoraj. Przychodzę tu obserwować ptaki. Próbowałam go złapać, bo pomyślałam, że może się zgubił, ale uciekł.

– To był Fred – wyszeptała Renia. – Widziała pani, w którą stronę poszedł? – zapytała bez większej nadziei.

– Nie, ale... – kobieta przerwała, namyślając się. – Jakiś mężczyzna przyszedł pobiegać, a w drodze do domu widziałam go znowu. Miał z sobą małego pieska i to mógł być ten sam...

– Ktoś zabrał Freda! – wykrzyknęła Renia. – Ukradł go, na pewno. Bo dlaczego do nas nie zadzwonił?

Tata ją przytulił.

– Bez paniki. Fred zrzucił obrożę, pamiętasz? Może ten pan zabrał go na policję? Albo do schroniska w mieście? To bardziej prawdopodobne. Pójdziemy do domu i tam zadzwonimy. Dziękujemy – zwrócił się do starszej pani. – Bardzo nam pani pomogła.

– Mam nadzieję, że go państwo znajdą – powiedziała kobieta z uśmiechem. – To mały, uroczy psiak.

Renia pokiwała głową. Starsza pani miała rację. Fred był taki mały! O wiele za mały, by samemu przebywać na dworze. „Jest w schronisku – z naciskiem powiedziała sobie w duchu. – Na pewno...”.

Tata odłożył słuchawkę i się skrzywił.

– Automatyczna sekretarka. Ale nagranie mówi, że schronisko Dębina otwierają o dziewiątej...

Spojrzał na zegarek. Renia wstała o szóstej, chcąc jak najszybciej jechać do lasu, i teraz było dopiero wpół do dziewiątej.

– Dojazd zajmie nam jakieś dwadzieścia minut – powiedział z namysłem.

– Jedźmy! – Renia złapała go za rękę i zaczęła ciągnąć w kierunku drzwi.

Odjechali samochodem i Renia pomachała mamie i Ani, które stały w drzwiach, patrząc za nimi. Ania też bardzo tęskniła za Fredem. Wstała niemal tak wcześnie jak jej starsza siostra, a po powrocie z lasu Renia zastała ją siedzącą ze smutkiem w psim koszyku.

Gdy jechali przez miasto do schroniska, dziewczynka pochyliła się w przód, zaciskając pięści tak mocno, że aż rozbolały ją ręce.

– Spokojnie, Reniu – powiedział tata. – W ten sposób nie dojedziemy szybciej. Schronisko i tak otworzą dopiero za kwadrans, a jesteśmy już prawie na miejscu.

Dziewczynka wyskoczyła z samochodu w chwili, gdy zatrzymali się na parkingu, i puściła się biegiem ku drzwiom schroniska. Wciąż jednak były zamknięte i zatrzęsła nimi bez powodzenia.

– Jest dopiero za pięć! – zawołał tata, idąc za nią przez parking.

Renia chodziła tam i z powrotem, gdy czekali na zewnątrz, co jakieś dziesięć sekund zerkając na zegarek, za każdym razem pewna, że już musi być dziewiąta.

Wreszcie zobaczyli jakąś postać zbliżającą się do przeszklonych drzwi i młoda kobieta uśmiechnęła się do nich, wkładając klucz do zamka.

Dziewczynka uwiesiła się ramienia taty, gdy kobieta otworzyła drzwi.

– No proszę, ile entuzjazmu! – powiedziała wesoło. – Przyszliście w sprawie adopcji psa?

Tata pokręcił głową.

– Niestety nie. Mamy nadzieję, że nasz szczeniak trafił tutaj. Zaginął wczoraj po południu.

– Aha – kobieta popatrzyła na nich z powątpiewaniem. – Nie słyszałam, żeby przyniesiono nam szczeniaka – zobaczyła jednak smutną minę Reni i szybko dodała: – Ale wczoraj mnie nie było, więc nie wiadomo. Muszę kogoś spytać. Tak czy owak, proszę, wejdźcie.

Zaprowadziła ich do recepcji. Renia słyszała szczekanie z korytarza prowadzącego do głównej części schroniska. Wytężyła słuch, próbując usłyszeć ostry, jamniczy głos Freda. Nie mogła go jednak wyłowić z ogólnego zgiełku. Dobiegał ją też brzęk metalu, zapewne odgłos stawianych misek.

– W komputerze nie ma informacji o nowym szczeniaku... – kobieta zmarszczyła brwi, stukając w klawiaturę. – Pójdę spytać Lenę. To nasza dyrektorka, była tu wczoraj.

Renia przełknęła ślinę. Czuła się tak, jakby w gardle utknęła jej jakaś gruda. Próbowała powstrzymać łzy.

– Tato, gdzie on może być, jeśli nie tutaj? – wyjąkała zdławionym głosem.

– Nie denerwuj się tak – odparł tata, tuląc ją do siebie. – Może tu jest? – Mówił to jednak bez przekonania.

Do recepcji weszła ciemnowłosa kobieta.

– Dzień dobry, nazywam się Lena Barniewicz. Bożena mówi, że szukacie zaginionego szczeniaka. Bardzo mi przykro, ale wczoraj nie trafił do nas żaden pies.

– Żaden... – powtórzył z niepokojem tata.

– To gdzie on może być? – spytała Renia, poddając się w walce z łzami, które popłynęły jej po policzkach.

– Zanim do nas trafi, może minąć kilka dni – wyjaśniła grzecznie pani Lena. – Nie poddawaj się. Możliwe, że ktoś go znalazł i teraz szuka właściciela na własną rękę.

– Ktoś mógł go ukraść – załkała dziewczynka. – Starsza pani powiedziała, że widziała mężczyznę z psem.

– Podajcie mi numer telefonu i opis tego szczeniaka – zaproponowała kobieta. – Gdyby ktoś go przyniósł, od razu się odezwiemy.

– Dziękuję. To szczeniak jamnika, ma piętnaście tygodni i jest brązowy, podpalany – powiedział tata, a pani Lena wpisała informacje do komputera.

– Wabi się Fred – dodała Renia, przełykając ślinę.

– I zgubił się wczoraj?

– Tak, w Lasku Kamienieckim. Ma mikroczip. To chyba powinno pomóc? – spytał tata z nadzieją.

Kobieta uśmiechnęła się.

– Doskonale. Jeśli trafi na policję albo do weterynarza, od razu do was zadzwonią.

– W takim razie dziękujemy. Chodź, Reniu. – Tata zaprowadził ją na parking. – Przykro mi, skarbie. Wiesz co, wracając, zadzwonimy na komisariat. Może tam ktoś go odwiózł? A jeśli nie, to po drodze do domu kupimy taśmę klejącą, a potem możemy zrobić ogłoszenie i porozwieszać je na wszystkich latarniach.

Renia pokiwała głową, ale do oczu znowu napłynęły jej łzy. Skoro mieli rozwieszać ogłoszenia, to znaczyło, że naprawdę nie mają pojęcia, co się stało z Fredem.

Rozdział ósmy

Renia szła powoli przez parking, a po twarzy ciągle płynęły jej łzy, mimo że raz po raz je wycierała. Tata trzymał rękę na jej ramieniu, ale to wcale nie poprawiało samopoczucia dziewczynki.

Tata właśnie otwierał samochód, gdy Renia usłyszała za plecami czyjeś wołanie i zbliżający się tupot stóp.

– Chwileczkę! – pani Lena biegła w ich kierunku przez parking, wyraźnie podekscytowana. Do trzymanego w dłoni telefonu powiedziała: – Tak, dogoniłam ich. Brązowy podpalany jamnik? To wspaniale!

Renia odwróciła się, by na nią spojrzeć oczami szeroko otwartymi z niespodziewanej nadziei.

– Ktoś go znalazł!? – wyszeptała.

Pani Lena skinęła głową i uśmiechnęła się szeroko, słuchając rozmówcy.

Renia miała ochotę wyrwać jej telefon. Chciała wiedzieć, gdzie jest Fred – już, natychmiast!

W końcu kobieta zakończyła rozmowę i uśmiechnęła się do Reni oraz do jej taty.

– Wiązowa 36. Mężczyzna o bardzo miłym głosie, Jacek Heban, poszedł wczoraj wieczorem do Lasku Kamienieckiego, żeby pobiegać, i znalazł podpalane szczenię jamnika bez obroży i smyczy. Dzwonił do nas wczoraj, ale schronisko było już zamknięte, więc teraz spróbował znowu, żeby spytać, czy może przynieść szczeniaka. – Uśmiechnęła się jeszcze szerzej. – Powiedziałam, że oszczędzimy mu fatygi i wyślemy was do niego. Mam nadzieję, że nie macie nic przeciwko temu…

– Dziękuję! – Renia zarzuciła pani Lenie ręce na szyję i mocno ją uściskała. – To cudowne wieści! – Spojrzała na kobietę niespokojnym wzrokiem.

– To musi być Fred, prawda? – spytała. – W lesie nie mogło być drugiego jamnika…

– Pan Jacek był pewien, że to wasz piesek. Wiek się zgadzał, a jamniki nie są takie pospolite. Jedźcie do niego!

Tata uśmiechnął się.

– Wiązowa, tak? Dziękuję za pomoc. Chodź, Reniu!

– Do widzenia! – Renia wskoczyła do samochodu i zaczęła zmagać się z pasem bezpieczeństwa. Zrobiła się nagle tak nerwowa, że palce odmawiały jej posłuszeństwa. To musiał być Fred, po prostu musiał! Nie zniosłaby kolejnego rozczarowania.

Fred leżał na środku poduszki z łebkiem opartym na łapkach i patrzył, jak Miki je śniadanie. Tym razem była to karma z puszki, inna niż krokieciki, które Fred dostawał w domu. Zapach mu się podobał, ale z jakiegoś powodu nie był zbyt głodny, chociaż też dostał sporą porcję.

– Jesteś dziś bardzo spokojny – Jacek kucnął przy legowisku. – Mam nadzieję, że się nie rozchorowałeś. Tym bardziej, że chyba znalazłem twojego właściciela. Ponoć pewna młoda dama bardzo się o ciebie martwi. Może po prostu za nią tęsknisz, co? – Mężczyzna wstał. – Nic ci nie będzie, jeśli raz nie zjesz śniadania, skoro nie masz ochoty. Nie chcesz wyjść? Powęszyć trochę w ogrodzie? Nie? – Pogłaskał Freda po gładkim łebku. – Już niedługo, piesku. Rozchmurz się.

Fred podniósł łebek, by popatrzeć na Jacka, gdy ten do niego mówił, ale teraz mężczyzna się oddalał i piesek znowu opuścił głowę. Nie chciał jeść i nie chciał iść do ogrodu. Chciał do Reni.

Chciał, żeby sypała mu karmę i patrzyła na niego czule podczas jedzenia. Chciał biegać po ogrodzie z nią i z Anią. Lubił Jacka, a do Mikiego miło było się przytulić na legowisku. Nie chciał tu jednak zostać. Nigdy wcześniej nie znał innego psa. Zwłaszcza takiego, który stawał mu na uszach! To był dom dużego psa, a Jacek panem tego psa. Miki wyraźnie to zaznaczył, a Fred nie miał nic przeciwko temu. Chciał tylko wrócić do swojego domu i do Reni.

Wiązowa nie była daleko od schroniska i już mniej więcej po dziesięciu minutach tata zatrzymał samochód przed domem numer 36.

Ze środka usłyszeli szczekanie, jeszcze zanim zadzwonili do drzwi, i Renia podniosła błyszczące oczy na tatę. Było to piskliwe szczekanie. Typowe dla małego pieska, który lubi się rządzić...

– To on, prawda? – szepnęła Renia, a tata pokiwał głową i rozpromienił się.

Po drugiej stronie drzwi Fred miotał się i szczekał, chrobocząc pazurkami drewniane klepki. Słyszał Renię! Przyszła po niego!

Gdy drzwi się otworzyły, mała brązowo-czarna kulka sierści rzuciła się na dziewczynkę, głośno szczekając.

Dziewczynka podniosła psiaka, śmiejąc się i płacząc jednocześnie.

– Fredziu! Gdzie ty byłeś? Wszędzie cię szukaliśmy! Oj, tak się za tobą stęskniłam!

Piesek z miłością polizał ją po twarzy, po czym znowu zaczął skakać, machając ogonem tak mocno, że cały jego grzbiet też się kołysał. Wychylił się niebezpiecznie daleko z ramion Reni, by polizać także tatę, polizał nawet Jacka.

Mężczyzna roześmiał się.

– Teraz jesteś szczęśliwy, co, piesku?

– Dziękuję, że go pan przygarnął – odezwała się nieśmiało Renia, tak cicho, że mężczyzna ledwie ją usłyszał przy tym szaleńczym szczekaniu.

– Nie ma za co. Nie miał obroży. Pewnie ją zgubił.

– Nosił obrożę – wyjaśniła dziewczynka. – Moja młodsza siostra się przewróciła i pomagałam mamie ją pocieszyć. Przywiązałam jego smycz do gałęzi i zanim poradziłyśmy sobie z Anią, już go nie było! – Jej głos zrobił się piskliwy ze strachu, gdy to sobie przypomniała. – Pewnie poszedłeś gonić wiewiórki, co? – zwróciła się do Freda. – W lesie jest ich pełno.

A potem szerzej otworzyła oczy, gdy do przedpokoju wszedł Miki, by zobaczyć, co się dzieje.

– O! Pan też ma psa – popatrzyła z niepokojem na tatę, a potem na gospodarza. – Bardzo mi przykro, jeśli Fred się z nim bił…

Jacek parsknął śmiechem.

– Próbował się rządzić, ale Miki nadepnął mu na ucho. Potem był już bardzo grzeczny!

– Nadepnął mu na ucho? – jęknęła Renia, spoglądając na Mikiego. Był olbrzymi. Z pewnością mógłby zmiażdżyć Freda.

– Przycisnął mu ucho do podłogi tylko na chwilę. Myślę, że w ten sposób pokazał mu, kto tu rządzi. Rozumiem, że Fred już wcześniej dawał się we znaki innym psom?

Renia wzruszyła ramionami.

– Szczeka na nie. Zupełnie jakby myślał, że jest równie duży jak one. – Opuściła wzrok na jamnika, który wyrwał się z jej objęć i tańczył wokół łap Mikiego, wesoło trącając go noskiem. – Ale dla pańskiego psa jest teraz bardzo miły!

Mężczyzna się uśmiechnął.

– Może po prostu musiał się nauczyć, kto jest szefem stada? Próbowaliście zabierać go na spotkania szczeniąt?

Tata pokręcił głową.

– Nawet o nich nie słyszałem. To rodzaj szkolenia? Zapisaliśmy się na zajęcia, które zaczną się dopiero za parę tygodni.

– Ludzie, którzy prowadzą to szkolenie, mogą też organizować spotkania szczeniąt, radzę o to zapytać. Chodzi o to, żeby małe pieski mogły się poznać w bezpiecznym miejscu. Uczą się obchodzić z innymi psami i ustalać hierarchię. Ale właściciele są obok, żeby w razie problemów interweniować.

– Wiele pan wie o psach – stwierdziła z podziwem Renia. Też chciałaby tyle wiedzieć. Czuła, że sprawiła Fredowi wielkie rozczarowanie, gubiąc go w lesie, nawet jeśli mama mówiła, że to nie jej wina.

Jacek uśmiechnął się do niej.

– Bardzo za tobą tęsknił. Zeszłej nocy Miki odwracał jego uwagę, ale kiedy obudziłem go na krótki spacer, zanim poszedłem spać, był bardzo nieszczęśliwy. A dziś rano siedział w koszyku i był bardzo przygnębiony. Nawet nie tknął śniadania. Nie chciał się ze mną bawić, chociaż od wielu lat jestem właścicielem psów. To twój piesek.

Renia pokiwała głową, patrząc, jak Fred ociera się o nogi większego kolegi. Potem nagle przestał i rozejrzał się, jakby sprawdzał, czy Renia ciągle jest obok.

Ukucnęła, a on podbiegł, by szybko polizać ją po dłoni, zanim wrócił do zabawy.

– Widzisz? – gospodarz pokiwał głową do dziewczynki. – To twój pies.

Uśmiechnęła się. Była to prawda. I zamierzała zrobić wszystko, by nigdy więcej się nie zgubił.

Tata zadzwonił do domu, by opowiedzieć mamie i Ani, że znaleźli Freda, więc Renia nie była zdziwiona na widok siostrzyczki czekającej na nich w ogrodzie. Stała na dolnej krawędzi bramy i wyglądała zza niej, a gdy tylko zobaczyła samochód, zaczęła machać jak szalona.

Tata wyjątkowo pozwolił Reni trzymać podczas jazdy Freda na kolanach. Piesek co jakiś czas odwracał łebek i podnosił na nią wzrok, jakby chciał się upewnić, że ciągle tam jest, i raz po raz czule lizał ją po rękach.

– Fred! Fredziu! – Ania otworzyła bramę i wybiegła do nich, a za nią wyszła mama.

– Reniu, tak się cieszę, że go odnalazłaś – powiedziała mama, uśmiechając się do niej.

Dziewczynka wysiadła i Fred bardzo delikatnie polizał Anię. Rozumiał, że musi być ostrożny, bo widział biały opatrunek na jej twarzy.

– Dobry piesek – szepnęła Renia. Przez bramę weszła do środka, spodziewając się, że jamnik wyrwie się jej i zacznie biegać, jak to miał w zwyczaju. Tym razem jednak siedział spokojnie w jej ramionach.

Nie było na świecie żadnego innego miejsca, w którym wolałby się teraz znaleźć.